Ich fühle mich ein bißchen schwach, Miraculix!
Nein, Obelix!... Du bekommst keinen Zaubertrank. Ich habe dir schon tausendmal gesagt, daß du als kleines Kind hineingefallen bist!

GROSSER Asterix -BAND XXIII

TEXT: GOSCINNY

ZEICHNUNGEN: UDERZO

DELTA VERLAG GMBH · STUTTGART

In folgenden Ländern erscheint ASTERIX in der jeweiligen Landessprache:

AUSTRALIEN: Hodder Dargaud, Dunton Green, Sevenoaks, Kent TN13 2XX, England
BELGIEN: Dargaud Bénélux, 3, rue Kindermans, 1050 Bruxelles, Belgien
BRASILIEN: Cedibra, rua Filomena Nunes 162, Rio de Janeiro, Brasilien.
BUNDESREPUBLIK DEUTSCHLAND: Delta Verlag GmbH, Postfach 1215, 7000 Stuttgart 1, BRD.
DÄNEMARK: Gutenberghus, Vognmagergade 11, 1148 Kopenhagen k, Dänemark.
FINNLAND: Sanoma Osakeyhtio, Ludviginkatu 2–10, 00130 Helsinki, Finnland.
FRANKREICH: Dargaud Editeur S.A., 12 rue Blaise-Pascal, 92201 Neuilly-sur-Seine, Frankreich
Langue d'Oc: Société Toulousaine du Livre, Av. de Larrieu, 31094 Toulouse, Frankreich.
GALLISCHER SPRACHRAUM: Gwasg Y Dref Wen, 28, Church Road, Yr Eglwys Newydd, Cardiff CF 2 2EA, England.
GRIECHENLAND: Anglo Hellenic Agency, 3 Kriezotou Street, Athen 134, Griechenland.
GROSSBRITANNIEN: Hodder Dargaud, Dunton Green, Sevenoaks, Kent TN13 2XX, England
HOLLAND: Dargaud Bénélux, 3 rue Kindermans, 1050 Bruxelles Belgien.
Vertrieb: Oberon, Ceylonpoort 5–25, Haarlem, Holland.
HONG KONG: Hodder Dargaud, Dunton Green, Sevenoaks, Kent TN 13 2XX, England
ISLAND: Fjolvi HF, Njorvasund 15a, Reykjavik, Island.
ISRAEL: Dahlia Pelled Publishers , Pob 33325, Tel Aviv, Israel.
ITALIEN: A. Mondadori Editore, Via Belvedere No. 1, 37131 Verona, Italien.
JUGOSLAWIEN: Nip Forum, Vojvode Misica 1–3, 2100 Novi Sad, Jugoslawien.
KANADA: Dargaud Canada, 307 Benjamin-Hudon, St. Laurent, Montreal P.Q. H4N1J1, Kanada
NEUSEELAND: Hodder Dargaud, Dunton Green Sevenoaks, Kent TN 13 2XX, England
NORWEGEN: A/S Hjemmet, Kristian IV gate 13, Oslo 1, Norwegen.
ÖSTERREICH: Delta Verlag GmbH, Postfach 1215, 7000 Stuttgart 1, BRD.
PORTUGAL: Meriberica, rua D. Filipa de Vilhena 4–5°, Lissabon 1, Portugal.
SCHWEDEN: Hemmets Journal Forlag, S. Bulltortavägen, 20022 Malmö 3, Schweden.
SCHWEIZ: Delta Verlag GmbH, Postfach 1215, 7000 Stuttgart 1, BRD.
Vertrieb: Interpress Dargaud S.A., En Budron B, 1052 Le Mont/Lausanne, Schweiz
SPANIEN: Grijalbo-Dargaud S.A., Deu y Mata 98–102, Barcelona 29, Spanien.
SÜDAFRIKA: Hodder Dargaud, Dunton Green, Sevenoaks, Kent TN13 2XX, England
SÜDAMERIKA: Grijalbo-Dargaud S.A., Deu y Mata 98–102, Barcelona 29, Spanien.
TÜRKEI: Kervan Kitabcilik, Serefendi Sokago 31, Istanbul

RÖMISCHES REICH: Asterix latein erscheint bei:
Delta Verlag GmbH, Postfach 1215, 7000 Stuttgart 1, BRD

Asterix experanto erscheint bei:
Delta Verlag GmbH, Postfach 1215, 7000 Stuttgart 1, BRD.

Verlag: DELTA Verlagsgesellschaft mit beschränkter Haftung.
Anschrift: Postfach 1215, 7 Stuttgart 1
Vertrieb: EHAPA VERLAG GMBH. Anschrift: Postfach 1215, 7 Stuttgart 1
Herausgeber: Adolf Kabatek
Übersetzung: Gudrun Penndorf
Redaktion: Roswith Krege-Mayer, Heidi Klauser-Hohberg
Druck: Ernst Klett Druckerei, Stuttgart

Wir befinden uns im Jahre 50 v. Chr. Ganz Gallien ist von den Römern besetzt... Ganz Gallien? Nein! Ein von unbeugsamen Galliern bevölkertes Dorf hört nicht auf, dem Eindringling Widerstand zu leisten. Und das Leben ist nicht leicht für die römischen Legionäre, die als Besatzung in den befestigten Lagern Babaorum, Aquarium, Laudanum und Kleinbonum liegen...

Unsere Gallier:

Asterix, der Held dieser Abenteuer. Ein listiger kleiner Krieger, voll sprühender Intelligenz, dem alle gefährlichen Aufträge bedenkenlos anvertraut werden. Asterix schöpft seine übermenschliche Kraft aus dem Zaubertrank des Druiden Miraculix...

Obelix und Asterix sind unzertrennliche Freunde. Obelix ist seines Zeichens Lieferant für Hinkelsteine, großer Liebhaber von Wildschweinbraten und wilden Raufereien, stets bereit, alles liegen und stehen zu lassen, um mit Asterix ein neues Abenteuer zu bestehen. In seiner Begleitung befindet sich Idefix, der einzige umweltfreundliche Hund der Welt, der vor Verzweiflung aufheult, sobald man einen Baum fällt...

Miraculix, der ehrwürdige Druide des Dorfes, schneidet Misteln und braut Zaubertränke. Sein größter Erfolg ist ein Trank, der übermenschliche Kräfte verleiht. Doch Miraculix hat noch andere Rezepte in Reserve...

Troubadix ist der Barde! Die Meinungen über sein Talent sind geteilt: er selbst findet sich *genial,* alle anderen finden ihn *unbeschreiblich.* Doch wenn er nichts sagt, ist er ein fröhlicher Geselle, der von allen geschätzt wird...

Majestix schließlich ist der Häuptling des Stammes. Ein majestätischer, mutiger, argwöhnischer alter Krieger, von seinen Leuten respektiert, von seinen Feinden gefürchtet. Majestix fürchtet nur ein Ding: daß ihm der Himmel auf den Kopf fallen könnte! Doch, wie er selbst sagt: „Es ist noch nicht aller Tage Abend."

Ich bin Zenturio Absolutus. Ave!

Zenturio Beifus. Ave! Haben schon sehnsüchtig auf euch gewartet, Kumpels!

Schau mal! Trotz allem nett, so ein Parademarsch!
Häää?

Wenn ich dir einen Tip geben darf, mach' dir mit deinen Leuten hier ein schlaues Leben und warte auf die Ablösung! Und laß dich ja nicht von den Galliern hier in der Gegend provozieren! Das sind unbesiegbare Verrückte!

Ganz im Gegenteil. Ich hab' vor, diese Gallier auf Vordermann zu bringen. Das gefällt Julius Cäsar bestimmt. Ich hab' nicht die Absicht, mein Leben lang Zenturio zu bleiben!
Dein Leben lang? Das könnte kurz sein! Auf geht's, Leute!
2A

Das ist toll!
Das ist toll!

Das ist...
?
?

Was ist denn toll, Asterix?
Hm... oh, nichts! Hihihi-hi...

Achtung! Er kommt!

Hihihi!
Hihihi!
Hihihi!
Hihihi!
Hihihi!
Hihihi!
Hihihi!
Hihihi!
Hihihi!
Hihihi!
Ja, was haben die denn?
Hihihi!

...und ganz neu sind sie, mein Lieber! Eben frisch eingetroffen!
Vorsicht!

Wer ist ganz neu? Wer ist eben frisch eingetroffen?
Hmmm... die Fische da ganz bestimmt nicht!
FISCHE UND KRUSTENTIERE VERLEIHNIX
Hihihi!

Asterix! Was geht hier vor?

Wieso?
Immer, wenn ich dazu komme, laufen alle weg und machen hihihi! Sogar als Automatix was über die Fische von Verleihnix gesagt hat, haben sich die beiden nicht gehauen, sondern nur hihihi gemacht!

Hihihi!
4A

Ach was, die Geheimniskrämerei von denen ist uns wurscht, was, Idefix?

Wir beiden haben ja schließlich auch unsere kleinen Geheimnisse!

HI HI HI!
!!!

Ich glaub', er ahnt was. Soll ich jetzt hingehen?
Tu das. Es ist alles vorbereitet.
4B

Legionäre!!! Wir sind hier, darüber zu wachen, daß die Autorität Roms nicht noch weiter untergraben wird!
SPQR

Wir bringen die Einwohner des kleinen Nachbardorfes auf Vordermann und werden dabei gegen jede Art Aufsässigkeit von ihrer Seite hart durchgreifen!

Legionäre! Wir werden uns mit Ruhm bedecken!

Ein Gallier steht vor dem Lagertor!

Aha! Die haben wohl gemerkt, daß sich hier was geändert hat. Öffne das Tor!

Nun, Gallier? Kommst du, um dich zu unterwerfen?

BÄBÄBÄBÄBÄ !

Legionäre! Ergreift den Winzling! Ich werde an ihm ein Exempel statuieren!

Sie sind mir auf den Fersen!
Sie sind mir auf den Fersen!

Wer ist auf seinen Fersen?
Römer! Funkelnagelneue Römer! Eben frisch eingetroffen!

Rö ... Röm ...!
Laßt sie mir!
Laßt sie mir!

Aber selbstverständlich lassen wir sie dir! Dir ganz allein!
Mir ganz allein?

Klar, du dicker Dussel! Du hast doch Geburtstag, und die Römer sind dein Geburtstagsgeschenk!
TIP
TIP
TIP

Und deswegen... und deswegen habt ihr so verschwörerisch getan und immer hihihi gemacht?
Na klar! Jetzt aber los, Obelix! Dein Geschenk erwartet dich!

Legionäre!
Wir radieren dieses anmaßende Dorf aus! Zum Angriff! Denen wird nichts geschenkt!

Idefix!
Komm!
GRRRRRRRRR

WIR GRATULIEREN,
WIR GRATULIEEEEEREN!

Also... also ehrlich... das ist furchtbar lieb von euch, das wär' doch nicht nötig gewesen... ich...
Aber, aber... du wirst doch wohl nicht weinen! Du bist viel zu sensibel. Komm, da wartet noch ein Wildschweinfestessen auf dich!

Wir gratulieren, wir gratulieeeeren...
Nicht mal die Kerzen hat er ausgeblasen!

Und nun, Zenturio? Was machen wir jetzt?
Jetzt wird ein Rückzug ins Lager gemacht, dann eine Meldung an Cäsar... dann warten wir auf die Ablösung!

*Freigelassenenschule für Angewandte Zeitkritik

Lächer-
lich!
Beim Merkur! Dieser Grünschnabel hat nicht die geringste Erfahrung!
Hör nicht auf dieses kluge Köpfchen, Cäsar! Glaub mir, ein Ausschuß...
ZZZZZ!

Gewalt gegen Gewalt! Erinnere dich doch nur an unsere Feldzüge, Cäsar! Wir haben mit unseren Legionären eine ganze Welt in die Knie gezwungen!

Ja, Sozialstatus, ich erinnere mich. Du warst ein junger, mutiger Tribun, rank und schlank und elegant... du hast eine Menge Gold von unseren Feldzügen mitgebracht... jetzt schau, was aus dir geworden ist!

Ja, ihr alle, seht nur, was euer Gold, euer Grundbesitz, eure Orgien aus euch gemacht haben! Ihr seid dekadent geworden!
ZZZZ!
9A

Ihr denkt nur noch ans Essen und Trinken...
Was? Ist schon angerichtet?

Glaubst du, du könntest die verrückten Gallier in so was, wie das da, umformen?
Ja, Cäsar!

Und glaub' mir, sie werden alles andere tun als sich schlagen.

Allerdings brauche ich dazu Gold, viel Gold...
Dir stehen unbegrenzte Mittel zur Verfügung, Technokratus!

9B

Einige Tage später im Lager Babaorum...
Ja, da ist so ein Dicker. Er läuft oft mit einem Hinkelstein auf dem Buckel und einem kleinen Hündchen durch den Wald...

Wenn du also in den Wald gehst, riskierst du eine Begegnung... Paß aber gut auf, denn auch der kleine Hund ist gefährlich!

Ich gehe hin! Was euch betrifft, verlaßt das Lager nicht!
Keine Sorge! Hier gehn wir nicht raus, bevor die Ablösung da ist!

Kurz darauf...

Hast du was gewittert? Wart mal, ich seh' nach...
GRRRRRR!

?

Oh, das ist aber schön, was du da hinten drauf hast!
Hinten drauf?

Aber ich hab' doch gar nichts hinten drauf!
Doch, doch! Den Hinkelstein!

Da hab' ich nicht drangedacht. Klar, das ist ein Hinkelstein.
Wunderhübsch!
?

Wo hast du ihn gefunden?
Den hab' ich nicht gefunden, den hab' ich selbst gemacht. Ich haue Hinkelsteine und liefere sie!

Lieferst du viele?
Eigentlich nicht, denn wenn die Leute einen haben, wollen sie keinen zweiten. Die nutzen sich nämlich nicht schnell ab.

Was soll der hier kosten?
Tja, ich weiß nicht so recht... normalerweise tausche ich gegen irgendwas anderes...

Ich kaufe ihn! Für 200 Sesterze!
Sesterze?

Ja sicher! Es ist von Vorteil, Geld zu haben. Du kannst eine ganze Menge Dinge zum Essen kaufen... Du wirst der reichste Mann im Dorf. Und damit auch der wichtigste!

Da!
Der ist ein bißchen zu schwer für mich... Liefere ihn ins Lager Babaorum!

Ins Lager Babaorum?
NEIIIIIN!
Ich bin kein Legionär! Ich wohne nur dort. Ich bin Hinkelsteinverkäufer... komm, ich erklär's dir!
GRRRRRR!

Ein Hinkelsteinaufkäufer und ein Hinkelsteinanlieferer müßten sich doch eigentlich auf Anhieb verstehen!

Da! Da!
Die Ablösung?

NEIN! DAS DICKE MONSTRUM!

Ja, wo sind die denn?
Ist doch egal! Stell deinen Hinkelstein ab! Hier sind deine 200 Sesterze!

Die spinnen, die Römer!
Ich kaufe übrigens alle Hinkelsteine auf, die du liefern kannst!

Was soll'n das sein?
Das? Das ist das Ende unserer Probleme!

Ah, Obelix! Ich hab' schon auf dich gewartet. Gehn wir Wildschweine jagen?

Nein.
Bist du krank?
WAFF! WAFF!

Ich bin nicht krank! Ich habe Arbeit! Ich muß einen Hinkelstein hauen! Hab' keine Zeit für Vergnügungen!

Geh, spiel mit Asterix! Ich hab' zu tun, Idefix.
??
!

Am nächsten Morgen...
Da! Da!
Die Ablösung?

NEIN! DAS DICKE MONSTRUM!
Verzieht euch, Kumpels!

Ist hier eigentlich nie einer?
Was für ein Prachtexemplar! Noch viel schöner als das erste!

Hier! 400 Sesterze!
Nein, 200!

Die Preise sind gestiegen!
Wohin denn?

Nein, nicht so... aufgrund von Angebot und Nachfrage... der Markt... ach was, das ist zu kompliziert... die Preise steigen jedenfalls dauernd.

Und vergiß nicht, daß ich weiterhin alles aufkaufe, was du anlieferst!

SCHNÜFF! SCHNÜFF!

Asterix!
Ja?

Ich hab' Hunger. Könntest du nicht...
Wenn du nicht mehr so angespannt arbeitest, kannst du ja wieder mal mit zur Wildschweinjagd gehen. Im Wald wimmelt's nur so...
KRACKS!

GRRRRR!

Oh, Magnix! Was hast du denn Schönes da hinten drauf?
?

Na, ein Wildschwein eben.
Ich weiß, daß das ein Wildschwein ist, Blödel! Gib's mir!

Spinnst du?
TOCK! TOCK! TOCK!

Hier! Damit kannst du dir Sachen kaufen und wirst dann der zweitreichste Mann im Dorf.

Und ich kaufe alles, was du mir lieferst!
???

Morgen zahl' ich dir zwei Handvoll, weil die Preise mit dem Markt fliegen, und ich liefere die Nachfrage... ach, das ist alles fürchterlich kompliziert.
!!!

Magnix! Essen fertig!

Ich kann nicht! Ich hab' zu tun!
??

Der Hinkel-
stein-
lieferant!

Achthundert
Sesterze.
So? Hat das nachge-
fragte Angebot die Preise
seit dem Markt von gestern
wieder fliegen lassen?

Wie? Ach so, ja, da wäre ein Pro-
blem. Du lieferst mir zwar einen
Hinkelstein nach dem anderen...
ich brauche aber viele Hinkelsteine...

Ich kann nicht noch schneller ma-
chen. Nur weil ich als Kind in den
Zaubertrank gefallen bin, schaffe
ich einen am Tag.
Jammer-
schade...

Wenn du die Produktion nicht
steigern kannst, befriedigt das
Angebot nicht mehr die Nach-
frage, was sich negativ auf den
Kurs auswirken könnte.

HÄÄH?

Wenn-du-nicht-kön-
nen-machen-mehr-Hinkel-
steine-ich-dir-geben-
weniger-Sesterze.
Klar?

Asterix, willst du
mir nicht beim Hinkel-
steinhauen helfen?
?

Weil nämlich, wenn ich von
der angebotenen Nachfrage
der befriedigenden Produktion nicht genug herstelle,
dann kommen die Sester-
zen zu kurz.
HÄ?

Klar?
TOCK
TOCK
TOCK

Na, was ist? Magst du nicht?
Ftftftft!

Da, das Wildschwein!

Und vergiß nicht, daß die Preise über den Markt fliegen! Das macht zwei Handvoll.

Willst du mir nicht beim Hinkelsteinhauen helfen?
Hää?

Ich gebe dir haufenweise Sesterze, denn-wenn-du-und-ich-machen-viele-Hinkelsteine-Angebot-sein-viel-nachgefragt!
16A

Klar?
Klar, aber-werdann-Wildschweinjagen?

Das-seinrichtig...
KRATZ KRATZ

Sag-warum-duso-reden?
Hmmm... tja, das ist eben die Sprache der Geschäftsleute!

Ich weiß was! Wir stellen an deiner Stelle einen Wildschweinjäger ein.
Zwei Jäger! Wir sind doch auch zwei Hinkelsteinhauer!

EINSILBIX! ÜBERHAUPTNIX!
16B

*lat.: Ich kam, sah und haben gesiegt!

Mach dir keine Sorgen wegen Obelix. Der spinnt zur Zeit ein bißchen. Das legt sich.

Weißt du, was wir machen? Wir jagen ein schönes Wildschwein, und dann laden wir Obelix zum Essen ein.

Schau, da kommt grad eins!

Hände weg! Das gehört mir!
?

Hä, wieso dir? Mit den Wildschweinen halten wir's wie mit den Römern! Sie sind für alle da!
Die Römer ja, aber die Wildschweine nicht.

Wir sind die Jäger von Obelix!
Er-viele-Hand-voll-zahlen-für-Wildschweine!

Haargenau! Und du störst uns nur beim Arbeiten, **also verdufte!**

OH NEIN, OH NEIN! DAS GILT NICHT
GLUCK GLUCK GLUCK

DAS GILT N...
ZACK

Was ist denn passiert, beim Teutates?
?
Der Himmel ist uns auf den Kopf gefallen!

Jetzt gehen wir zu Obelix und reden ein Wörtchen mit ihm!

STEINBRUCH OBELIX
ACHTUNG HINKEL-STEINSCHLAG

Kein bißchen... Das Hinkelsteingeschäft ist noch nie so gut gelaufen. Außerdem verdiene ich gut. Ich bin bald der wichtigste Mann im Dorf!
Spinnst du du, oder was ist los!?
EINBRUCH OBELIX ACHTUNG HINKEL-TEINSCHLAG

Und du würdest nicht lieber Wildschweine jagen und dich wie früher mit deinen Kumpels vergnügen?
Natürlich. Wenn ich einen Haufen Hinkelsteine verkauft habe, kann ich wieder Wildschweine jagen wie früher...

Komm, Idefix, mit dem wichtigsten Mann im Dorf sind wir fertig!
Asterix, arbeite mit mir zusammen! Dann sind wir in zwei Jahren...
AUA!

Idefix hat mich gebissen!

Ich find' das alles halb so schlimm...

Was mich mehr beunruhigt, ist das plötzliche Interesse der Römer an den Hinkelsteinen...

Nicht übel! Aber ich muß mit dir reden... ich lade dich zu einem Arbeitsessen ein.

Das trifft sich gut. Meine Jäger wurden nämlich heute im Wald aufgehalten.
20A

Die Produktion ist zwar gestiegen, aber du hast immer noch Lieferprobleme. Dein Vertriebsweg muß überprüft werden!
Hä?

Ach so, Verzeihung... Du-nicht-genug-Hinkelsteine-pro-Lieferung-bringen. Du-müssen-machen-dallidalli!

Aber-ich-nicht-finden-gute-Lieferanten-von-Hinkelsteinen!
Denk darüber nach! Also, du überlegst dir das, dann treffen wir uns und gehen miteinander essen.

Jetzt was anderes. Du solltest anfangen, dein Geld auszugeben. Zum Beispiel bist du nicht passend angezogen...

Wieso? Ist was an meinen Beinkleidern auszusetzen?

Ein solcher Aufzug ziemt sich nicht für einen Mann in so bedeutender Position innerhalb der Hinkelsteinbranche!
Tatsächlich?
20B

Methusalixchen! Der fahrende Händler ist angekommen!

Ach, hör doch auf! Wenn einmal der Händler kommt,kannst du mich ruhig auf dem Schild mitnehmen und dort absetzen!
Aber Minchen, das ist immerhin ein Dienstschild!

Herbeispaziert, herbeispaziert! Seide aus Lugdunum*, Samt aus Samarobriva**, Sanduhren aus Vesontio***...
QUELLNIX MACHT'S MÖGLICH
*Lyon
**Amiens
***Besançon

Das ist der letzte Schrei in Lutetia... sehr preiswert!
Darf ich, Methusalixchen?
Aber ja, aber ja!

Wie findest du das?
Nett. Das macht schlank!

Kann man mit Fisch bezahlen?
Gib's mir lieber in bar. Geld stinkt nicht.
Ich kaufe alles!!!

?!
?!
?!
?!
?!
?!
?!
?!

Du? Du willst die ganze Ladung meines Wagens kaufen?
Die Ladung, den Wagen und die Ochsen!

Hä?
Das-sein-genug?

Oh ja, das-sein-genug... aber... aber, wenn ich dir meinen Wagen und die Ochsen verkaufe, verliere ich meinen Wildschweinerwerb!

Na schön, dann arbeitest du eben für mich. Komm, wir essen zusammen und besprechen das Ganze!
HÄ?

Du-kommen-du-essen-mit-mir-ich-erklären-dir...

MÖGLICH
!
Entschuldigt...

!
...der Chef hat alles aufgekauft!

Und du sagst nichts dazu?
Hä?

Du-sein-Vogelscheuche!

Beim Jupiter! Da, schaut!

OBELIX GMBH & CO KG

Ausgezeichnet! Sehr gut! Komm in mein Zelt. Dort rechnen wir miteinander ab. Der Hinkelsteinkurs ist schon wieder gestiegen.

Ich muß aber vorher noch die Hinkelsteine von meinem Wagen abladen...
Nein, nein, nein! Das ist doch keine Arbeit für den Chef des Unternehmens!

Ladet die Hinkelsteine ab, ihr da!
HÄ?
23A

Ja-ihr-Hinkelsteine-abladen!

Du-machen-langsam-wir-sonst-sein-zu-schnell-fertig...
KRAAACKS!

Wenig später...
Guten Tag, Obelix!

Ich wollte dir nur gratulieren! Du bist ja jetzt der wichtigste Mann im Dorf!
So? Äh... ja...

Übrigens... könntest du mir einen Gefallen tun?
Aber gern...
23B

Dum didel dum!

Ist die Suppe noch nicht fertig, mein Küken?
Nein, sie ist noch nicht fertig. Koch sie dir selber! Ich bin beschäftigt.

Beschäftigt womit, mein Wachtelchen?
Obelix hat mich gebeten, Kleider für ihn zu nähen. Er bezahlt mich gut für diese Arbeit!

Ich habe nichts mehr zum Anziehen. Da ich mit dir ja nicht rechnen kann, muß ich versuchen, selber was zu verdienen!

24A

Etwas später...
Seit der dicke Schwachkopf Obelix mit seinen Hinkelsteinen reich geworden ist, ärgert mich meine Frau mit ihrem grünen Geschwätz. Das geht nicht so weiter!

Beruhige dich! Obelix ist immer noch mein Freund!
So? Und wenn nun meine Frau deinem Freund schöne Augen macht, he?

Unglaublich! Wo sie noch nie einen anderen Mann außer mir angesehen hat...
Wirklich kaum zu glauben... Ich habe mich oft gefragt...

Also, bitte, was soll ich denn jetzt machen?
Gar nichts! Ich werd' versuchen, mit Obelix zu reden!

Da tust du gut daran, denn sonst kriegt er meinen Stock zu spüren, dein Freund!
24B

?!?
?!?

Hahahaha! Haha!
IRK! IRK! IRK!

Na, was hast du? Is was?

Wie schön du daherkommst, Obelix!
Ja, nicht wahr? Es heißt, daß man gut angezogen sein muß, wenn man es im Hinkelsteingeschäft zu was gebracht hat!
WARF! WARF!

Übrigens: Hinkelsteine! Meinst du nicht, daß dieser Spaß lange genug gedauert hat?

Hör mal... ich hab's eilig. Wenn du willst, treffen wir uns an einem der nächsten Tage und gehen miteinander essen!

Obelix! Obelix! Immer nur Obelix! Mir reicht's jetzt mit Obelix!

Dir reicht's vielleicht, aber ich hatte einen Kleiderstoff entdeckt, der schlank macht... und Obelix hat ihn bekommen! Der hat's nämlich zu was gebracht, der Obelix!
Ist es vielleicht meine Schuld, daß Hinkelsteine zur Zeit besser gehen als Fische?

?
Wieso? Du brauchst doch nur Hinkelsteine zu hauen!

Hinkelsteine hauen? Aber ich kann doch keine Hinkelsteine hauen!
Oh, man muß kein Druide sein, um das zu lernen.
Allerdings ist ein Hinkelstein schwerer als ein Hering! Obelix ist eben stark!

Das reicht mir jetzt mit Obelix! Wenn man einen Hering schleppen kann, kann man auch einen Hinkelstein schleppen!

Das hört sich gut an, Verleihnix!

Na, hast du mit deinem Freund, dem dicken Schwachkopf, geredet?

Ich hab' einen besseren Vorschlag. Du schlägst ihn mit seinen eigenen Waffen! Du machst Hinkelsteine!
Hi... Hi...Hinkelsteine?
26A

Ja. aber...
Laß dir keine grauen Haare wachsen! Ich kümmere mich um alles!

Aha, ich seh' dir an, daß du auf eine gute Idee gekommen bist.
Ja. Die Römer möchten Hinkelsteine. Also geben wir ihnen Hinkelsteine!

Bist du damit einverstanden, all denen vom Zaubertrank zu geben, die Hinkelsteine machen möchten?

Klar! Wir fördern die Hinkelsteinindustrie! Unser Dorf wird sich zum größten Hinkelsteinproduzenten früherer Zeiten entwickeln!

Und das Lustigste an der Sache ist ja doch, daß wir bis heute noch nicht wissen, wozu ein Hinkelstein gut sein soll!

Und, vom nächsten Tag an...

?

WASHAST-
DUDENN-
DA?
Komische Frage, ausgerechnet von dir! DASISN-
HINKLSTEIN.

Du schleppst Hinkelsteine?
Warum nicht? Auch nicht schwerer als Hering!

Na, so was...

Wo ist Automatix?
Der liefert gerade seine Hinkelsteine ab.
AUTOMATIX
DIE BESTEN HINKELSTEINE DES DORFES

Der liefert gerade seine... Aber ich bin doch...
Mach dich dünn!

METHUSALIX
FEINE HINKELSTEINE
!?!

Ich finde, die militärische Ausdrucksweise deiner Wache wird immer lässiger!
Du hast vielleicht Nerven! Meine Legionäre benehmen sich doch erst so komisch, seit du da bist...

Gewiß doch. Man wird dir gleich beim Abladen helfen, edler Greis!
Greis? Ich werde dir gleich zeigen, ob ich ein Greis bin, Römer!
28A

*Lat.: Wenn du den Frieden willst...

Was will der Chef von uns?
Das werden wir ja sehen!

?

Was ist denn mit dem passiert?
Ach, der wollte nur bei Automatix im Steinbruch arbeiten. Da er aber bei der Arbeit singt, wurde er in den Ruhestand versetzt.

Ich habe euch rufen lassen, weil ihr allem Anschein nach die letzten vernünftigen Menschen hier im Dorf seid...

Die spinnen doch jetzt alle! Die eine Hälfte fängt Wildschweine, um die andere Hälfte zu ernähren, die Hinkelsteine macht. Und was soll die ganze Geschichte?
30A

Sei unbesorgt, o Chef!
Oh, ich sorge mich nicht...

...denn ich weiß schon lange, daß sie alle einen Hau haben... aber Gutemine, die verlangt jetzt von mir, daß ich auch Hinkelsteine haue...

...sie wagt es nicht mehr, sich bei ihren Freundinnen blicken zu lassen, deren Männer die Taschen voller Sesterze haben!
Sei geduldig!

Die Römer haben keinesfalls ausgesorgt. Sie werden sich an unseren Hinkelsteinen noch die Zähne ausbeißen!

HOHOHO!
HOHOHO!
Auch plemplem!
WARF! WARF! WARF!
PATSCH PATSCH PATSCH
30B

In Rom, im Palast Julius Cäsars...
Und ich, was soll ich mit den ganzen Hinkelsteinen anfangen?

Aber Cäsar, diese Hinkelsteine sind doch der Beweis für meinen Erfolg! Die Gallier sind so beschäftigt, daß sie nicht mehr an Kampf denken und...
Mag sein. Aber um ein paar Verrückte zu beruhigen, leerst du meine Staatskasse!

Friede hat keinen Preis... wenn du Frieden willst...
31A

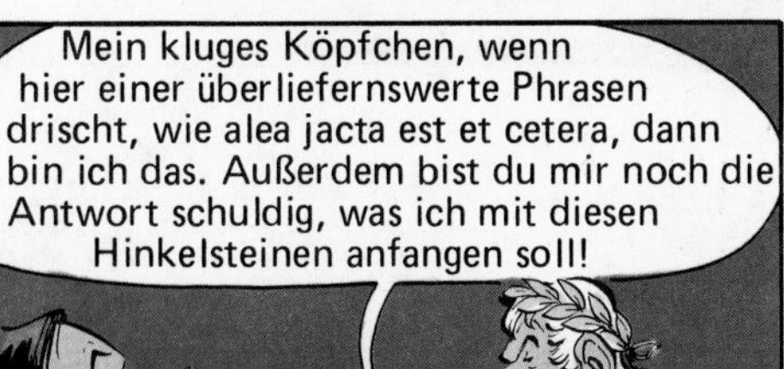

Mein kluges Köpfchen, wenn hier einer überliefernswerte Phrasen drischt, wie alea jacta est et cetera, dann bin ich das. Außerdem bist du mir noch die Antwort schuldig, was ich mit diesen Hinkelsteinen anfangen soll!

Verkauf sie, o Cäsar!
Verkaufen?

Aber sicher! So holst du nicht nur das Geld wieder rein, sondern kannst noch dazu Gewinn machen!
Wer will schon einen Hinkelstein? Der ist doch zu nichts nütze!

Eben. Und deshalb heißt es einen Feldzug starten, eine Strategie entwickeln, ein Ziel ins Auge fassen!

Feldzug? Strategie? Ziel? Diese Sprache versteh' ich. Ich werde meine Legionen mobilmachen lassen!

Nein, nicht so! Warte, ich erklär' dir das!
31B

Das nun folgende ist für einen, der mit den Praktiken des antiken Geschäftslebens nicht vertraut ist, sicher nur schwer zu verstehen. Und das um so mehr, da heutzutage ja niemand auf den Gedanken käme, etwas völlig Nutzloses zu verkaufen...

Ein auf einer Marktanalyse basierender Werbefeldzug sollte es uns eigentlich ermöglichen, einen aufnahmebereiten Kundenkreis anzusprechen, der unsere Lagerbestände rasch absorbiert.

32A

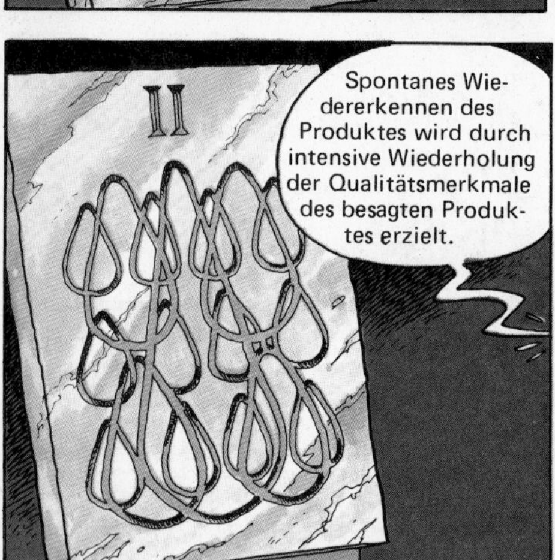

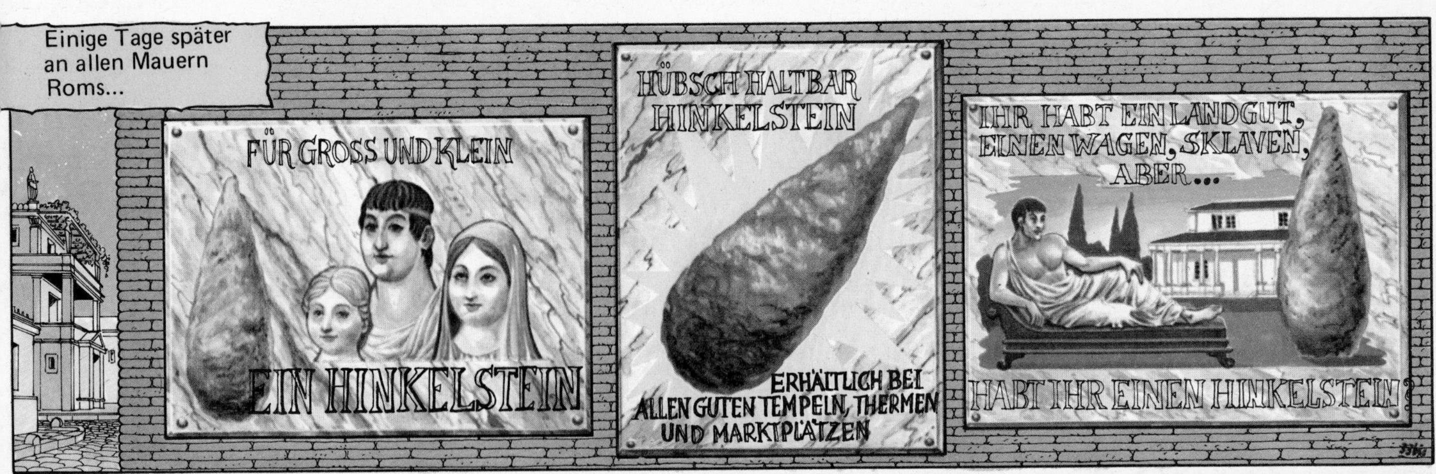
Einige Tage später an allen Mauern Roms...
FÜR GROSS UND KLEIN
EIN HINKELSTEIN
HÜBSCH HALTBAR HINKELSTEIN
ERHÄLTLICH BEI ALLEN GUTEN TEMPELN, THERMEN UND MARKTPLÄTZEN
IHR HABT EIN LANDGUT, EINEN WAGEN, SKLAVEN, ABER...
HABT IHR EINEN HINKELSTEIN?

Und nun, liebe Freunde, bis zur Fortsetzung unseres Programms, eine kleine Einlage...

ICH FÜHL' MICH JÜNGER IM GEBEIN, DENN ICH HAB' EINEN HINKELSTEIN. SOLL DIE ZUKUNFT GLÜCKLICH SEIN, KAUF' DIR EINEN HINKEL-STEIN!

HINKELSTE-EEIN HINKELSTEIN

Du, unsere Nachbarn, die Parvenus, haben schon einen gekauft und sind sehr zufrieden!
HINKELSTEiiiiiN!

Das Ergebnis des Werbefeldzugs läßt nicht lange auf sich warten...
Erfolg auf der ganzen Linie! Die Hinkelsteine gehen weg wie warme Semmeln!

Ich hätte da noch ein paar Ideen, o Cäsar!

Freizeitkleidung...

Sonnenuhren...
VI
VII
VIII
IX
X
XI
XII
I
II
III
IIII
V
VI

Modeschmuck...

Dieser Kasten bekommt die Aufschrift HINKELSTEIN IM EIGENHAU

Wir haben nun nicht nur Frieden mit den Galliern, sondern bereichern uns auch noch an ihnen!
34A

Beim Jupiter, ich bin zufrieden mit dir!
Wie wär's wenn wir Hinkelsteine aus weniger dauerhaftem Material herstellten? Unbegrenzte Haltbarkeit ist nicht ideal für kontinuierlichen Verkauf...
CÄSAR!

Sieh dir an, was seit gestern in ganz Rom rumhängt!

?!
INLÄNDISCHER HINKELSTEIN BILLIGER ALS IMPORT-HINKELSTEIN!
KAUFT RÖMISCHE ERZEUGNISSE!
PLAGIATIUS, FABRIKANT

Man bringe mir sofort diesen Plagiatus her!
34B

Wenig später...
Was ist denn das für eine Geschichte, Plagiatus? Seit wann fabrizieren Römer Hinkelsteine?
Seit die Leute welche kaufen, o Cäsar!

Hiermit untersage ich dir, den Hinkelsteinverkauf fortzusetzen!

Ich vertrete den Gesamtverband der römischen Hinkelsteinindustrie und kann eine solche Entscheidung nicht akzeptieren, da hierdurch eine große Anzahl Arbeitnehmer Gefahr läuft, den Arbeitsplatz zu verlieren!

Aber es sind doch nur Sklaven...
Eben. Das einzige Recht des Sklaven ist das Recht auf Arbeit. Es darf ihm nicht genommen werden!

Wenn du Hinkelsteine verkaufst, wirst du dich im Zirkus wiederfinden!
Gut. Ich weiß, was ich zu tun habe!

Tags darauf, auf der Via Appia...
ARBEIT FÜR UNS SKLAVEN
GALLISCHE HINKELSTEINE RAUS!

*Lat.: Gebrauchen, nicht mißbrauchen!

In Rom ist der Hinkelsteinkurs stark gefallen...
BEIM KAUF EINES SKLAVEN ZWEI HINKEL-STEINE GRATIS

Nicht mal im Schlußverkauf möchten ihn die Leute mehr haben... na, sei's drum... Ich habe ein Vermögen verloren. Reden wir nicht mehr darüber!
Ja, aber...

Was noch?
Es ist nämlich so, mein Cäsar...

Um den Frieden in Gallien zu bewahren, habe ich vor meiner Abreise Order gegeben, weiterhin Hinkelsteine aufzukaufen... und weiterhin den Kaufpreis zu erhöhen.

Waaas? Weißt du, in welchem Zustand meine Finanzen sind? Ab nach Gallien! Mach dem Steingemetzel ein Ende!

Äh... wäre es möglich, einen anderen zu schicken? Ich hab' da einen Studienkollegen, der...

Du gehst gefälligst selbst, du Spinner! Deinetwegen wäre ich beinahe in einen Bürgerkrieg geschlittert! Deinetwegen ist Rom so gut wie ruiniert! Sogar Brutus schaut mich schon scheel an!

A...aber, die werden mich massakrieren!
Das dortige Massakrieren interessiert mich weniger...

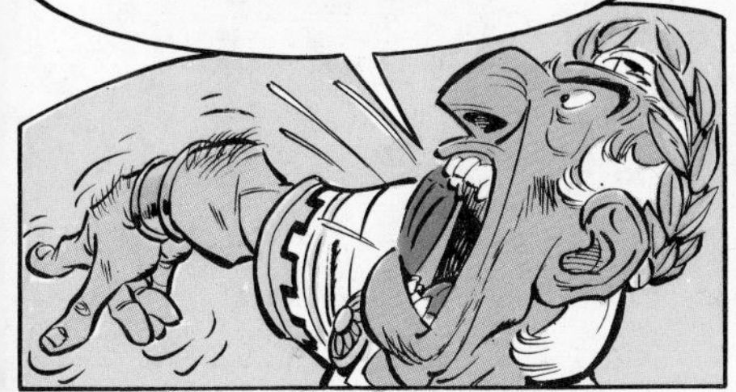
Mein letztes Wort! Wenn du nicht hingehst, lasse ich dich im Zirkus massakrieren!

HINKELSTEIN AUFFÜLLPLATZ

Die weltumspannende Hinkelsteinkrise hat das gallische Dorf noch nicht erfaßt...

Asterix! Idefix!
?!

Du... darf ich mit euch zum Wildschweinjagen?

Wie bitte? Ein so wichtiger Mann wie du? Hast du kein Arbeitsessen? Keine geschäftliche Verabredung?

Mach dich bitte nicht über mich lustig! Ich war ja so blöd! Ich langweile mich und hab' es satt. Jeder hat die Taschen voller Sesterze und jeder ist der wichtigste Mann im Dorf!

Ich will, daß wir wieder Freunde sind! Ich will Wildschweine jagen! Ich will wieder lachen!
BUHUUUU!

Glaubst du, in diesem Aufzug könnte man auf Wildschweinjagd gehen?
Schnief... hmm...?

Gleich wieder da!
Hihihi!

Im Lager Babaorum...
Kumpel Technokratus ist wieder da, Freunde!

Ave, Technokratus! Ich habe deine Anweisungen befolgt. Wir haben ein Riesenlager an Hinkelsteinen...

Hoffentlich hast du Geld dabei, denn...
Jungs, da kommt noch so 'ne komische Type!

VERLEIHNIX FRISCHE HINKELSTEINE
Hier hab' ich noch eine Ladung Hinkelsteine! Deine Legionäre können abladen!

Nein! Nimm sie wieder mit!
!
39A

Waaas?
Ich kaufe keine Hinkelsteine mehr!

Aber was soll ich denn damit anfangen? ...Und wenn ich sie dir billiger abgebe?
NEIIIIN!

Schluß mit den Hinkelsteinen! Schluß! Raus hier!
Also so was...

Ich versteh' deine neue Taktik nicht ganz...
Da gibt's keine Taktik. Wir kaufen keine Hinkelsteine mehr! Basta!

Außerdem geh' ich jetzt. Ave.
?!

Nein, so nicht, mein Lieber! Du bleibst so lange hier, bis ich die Lage völlig übersehe!
39B

VERLEIHNIX
FRISCHE
HINKELSTEINE
Sie kaufen keine Hinkelsteine mehr!
!

Du meinst wohl, sie kaufen **deine** nicht mehr?
Wieso **meine** nicht mehr?

Weil meine Hinkelsteine nämlich nicht nach vergammeltem Fisch riechen... Im übrigen liefere ich meine jetzt ab. Dann werden wir sehen, ob sie keine Hinkelsteine mehr kaufen!
?

Was ist denn los?
Oh, nichts weiter!

Bist du fertig?
Jaaa!

Auf geht's! Bei den vielen Jägern, die jetzt im Wald herumschwirren, muß man schon weit laufen, um Wildschweine zu finden!

Etwas später...
AUTOMATIX
TAGES-
HINKELSTEINE
Nicht mal meine nehmen sie noch!
BESTELLT
!

Der Römer hat zu mir gesagt, er möchte keine Hinkelsteine mehr sehen. Nie mehr!
HA!
Aber... aber, aber... was wird denn dann aus mir? Womit soll ich die vielen Leute bezahlen, die für mich arbeiten?

Na, um so besser! Dann krieg' ich vielleicht auch meine Träger wieder!

Schaut mal!

41A

Obelix haut keine Hinkelsteine mehr!
Dann hat er also gewußt, daß die Römer keine mehr kaufen. Und seinen Freunden hat er nichts gesagt!!!
Und nur wegen ihm haben wir alle überhaupt mit der Hinkelsteinhauerei angefangen!

Verräter!
Er ist an allem schuld!
Der hat Prügel verdient!

Halt das mal bitte, Asterix!
Mit Vergnügen!

Komm, Idefix!
GRRRRRRRRRR
41B

Ich sehe mit Behagen, wie das Dorf zu seinen früheren Gebräuchen zurückfindet!
Jaja, es geht eben nichts über den gewohnten Trott.

Das hast du gut gemacht. Ich bin mit dir zufrieden!
Augenblick! Es fehlt noch der Abschluß!
42A

Kinder! Alle mal herhören!

Entschuldigt die Unterbrechung, aber wie wär's, wenn ihr mit der Prügelei untereinander aufhörtet und wir stattdessen die Römer besuchen gingen? Schließlich sind die doch an allem schuld!

Au ja!
Recht hat er!
Und zum Dank für euer Geburtstagsgeschenk lade ich euch jetzt ein!

Was sagst du dazu, o Majestix, unser Chef?

Auf geht's, beim Teutates!
42B

Ich verstehe noch nicht ganz... Wie werden die Gallier darauf reagieren, daß du ihnen keine Hinkelsteine mehr abnimmst?

Bevor du nämlich angefangen hast, hier den Spinner zu spielen, haben wir ganz friedlich nur auf unsere Ablösung gewartet!
Meine Mission ist beendet. Laß mich jetzt gehen!

He, ihr! Da sind die...
?
?

ZACK
?!

DIE GA... DIE GAGA...
43A

43B

M...meinst du, die sind weg?
Weiß ich nicht, und ich mach' mir auch nichts draus. Jedenfalls bleib ich hier, bis die Ablösung kommt!

Na-du-verstehen-jetzt?

Alle meine Freunde haben die Taschen voller Geld. Was die wohl damit anfangen?
Nicht viel...

Ich hab' erfahren, daß es in Rom eine große Krise gibt. Warum, weiß ich auch nicht, jedenfalls ist der Sesterz abgewertet worden...
HÄ?

Sesterz-nichts-mehr-wert-sein!

Aber alle Sorgen und Verwicklungen schmelzen unter den Sternen wie Schnee in der Sonne, und heiteren Sinnes feiern die Gallier ihre wiedergewonnene Eintracht.
ENDE
UDERZO & GOSCINNY

ZACK!

Die spinnen,
die Römer!